Denise Gaouette

en collaboration avec
Bernadette Renaud

LIVRE
DE
LECTURE **A**

ERPi

É D I T I O N S
DU **RENOUVEAU**
PÉDAGOGIQUE INC.

5757, RUE CYPIHOT
AINT-LAURENT (QUÉBEC) H4S 1X4
TÉLÉPHONE : (514) 334-2690
TÉLÉCOPIEUR : (514) 334-4720

Nous tenons à remercier pour leurs textes les auteurs suivants:
Ginette Anfousse, p. 89, 91-97
Hélène Boucher, p. 14
Cécile Gagnon, p. 21-23
Suzanne Pinel, p. 8
Bernadette Renaud, p. 15-20, 34, 35, 56, 58-61, 65-67, 74, 75, 80-82, 84, 85
Robert Soulières, p. 45-47

Révision linguistique
Nicole Côté

Conception graphique, infographie et réalisation technique
Miller Graphistes Conseils inc.

Couverture
Le groupe Flexidée
Miller Graphistes Conseils inc.
Illustration: Marisol Sarrazin

Illustrations
Ginette Anfousse, p. 89, 91-98
Doris Barrette, p. 45-47
Diane Blais, p. 8, 9, 15-17, 20, 34, 35, 37-39, 43, 44, 48, 49, 57-59, 68, 69, 76, 77, 84, 85, 88
France Brassard, p. 65-67
Élizabeth Eudes-Pascal, p. 56, 80-82
Chantal Gauthier, p. 42-44
André Labrie, p. 10, 11
Marie Lafrance, p. II, III, IV
Benoît Laverdière, p. 49, 60, 61, 74, 75
Diane Lavoie, p. 64
Claire Lemieux, p. 21-24, 71, 83, 86-88
Marisol Sarrazin, p. I, II, 1-7, 12, 13, 15, 18-20, 25-33, 37-39, 49-52, 54, 55, 57, 62, 68-70, 72, 88
François Thisdale, p. 53
PEINTURE DE PAULINE PAQUIN, p. 73

Photographies
École Leventoux, p. 9
École Socrates, p. 14
Conrad Huard, p. 14, 78, 79
Claude Bureau et associées inc., p. 36
André Morneau, p. 40, 62, 63, 73, 76, 77
La Presse, p. 41
Jardin botanique de Montréal:
    Marie-Claude Dionne et Pierre Perreault, p. 42
Caserne n° 2 des pompiers de Sherbrooke, p. 78, 79

Les éléments de sécurité routière présentés dans ce livre de lecture ont été approuvés par la Société de l'assurance automobile du Québec.

Dépôt légal: 3e trimestre 1992
Bibliothèque nationale du Québec
Bibliothèque nationale du Canada

Imprimé au Canada   34567890 FR 5432109
ISBN 2-7613-0908-1   12009 ABCD   LM12

Bonjour,

As-tu passé de belles vacances ?
Moi, j'ai joué avec mon chien Médor.
J'essaie de lui montrer à lire.
C'est très difficile !

Cette année, tu vas lire
des histoires amusantes.
Tu vas aussi connaître mes cousins,
leur chien et leur famille.
Moi, je ne serai pas là,
mais je vais penser à toi.

Bonne année scolaire !

Mélissa XX

Rappelle-toi la démarche à suivre pour lire !

1 Je dis dans mes mots :
- la question qu'on me pose ;
- l'activité qu'on me demande de faire.

2 Je lis le titre et les sous-titres.

3 Je regarde les illustrations.

4 Je pense à ce que je connais.

5 Je lis le texte
pour vérifier si j'ai bien deviné.

J'utilise les cinq clés:

mot connu   mot deviné   tous les mots

mot déguisé   partie de mot

6 Je réponds à la question
ou je fais l'activité.

Lire,
c'est avoir
des images
en tête.

Table des matières

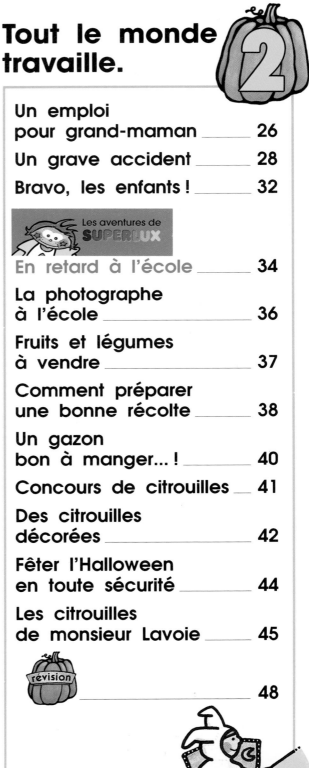

Je prends soin de moi.

3

J'ai le coeur à la fête.

4

Je retourne à l'école.

Peux-tu nous reconnaître ?

Je m'appelle Mathieu.
Je suis le frère jumeau
de Marie-Philippe.
J'ai 7 ans.
Je suis en deuxième année.
J'ai une rosette
dans les cheveux.
Je suis droitier.

Je m'appelle Marie-Philippe.
Je suis la soeur jumelle
de Mathieu.
J'ai 7 ans.
Je suis en deuxième année.
J'ai une tache
de naissance sur le bras.
Je suis gauchère.

1 • Trouve ce que Mathieu
et Marie-Philippe ont de semblable.

2 • Trouve ce que Mathieu
et Marie-Philippe ont de différent.

Pollus

Quand je suis fâché contre toi,
je t'appelle « vilain sac à puces » !
Quand je suis ami avec toi,
je t'appelle « gros toutou en peluche » !

Tu es un vrai gourmand.
Tu manges tout le temps.
Pour trouver à manger, Pollus,
tu as plein d'astuces.

Tu raffoles des promenades en auto.
Mais, même si tu fais le beau,
non, non, non, Pollus,
tu ne monteras pas dans l'autobus.

Parfois, je t'amène dans ma cachette,
dans ma chambre sous ma couette.
Je te raconte ce qui m'attriste,
car tu es mon seul complice.

Cher ami Pollus,
tu seras toujours ma coqueluche.

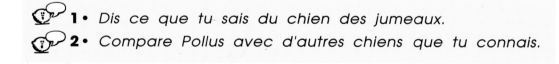

1 • *Dis ce que tu sais du chien des jumeaux.*
2 • *Compare Pollus avec d'autres chiens que tu connais.*

*Lis le texte pour découvrir
chaque membre de la famille des jumeaux.*

Le groupe des dix

Mireille

Mathieu

Marie-Philippe

Pollus

1

Qui suis-je ?

Je travaille comme pompier.
J'aime jardiner
quand je suis en congé.
J'aime beaucoup cuisiner.
Je n'aime pas dessiner.

2

Qui suis-je ?

Je suis illustratrice
de bandes dessinées.
J'aime faire des travaux
de plomberie.
Je n'aime pas cuisiner.

3

Qui suis-je ?

Je vais à l'école le soir
avec d'autres adultes.
J'aime acheter des cadeaux
pour mes petits-enfants.
Je parle souvent à ma chatte
et à ma perruche.

4

Laurent

Flavie

Camille

Kiwi

Quatre-Sous

o Ming

4

Qui suis-je ?

Je vais à l'école.
Je suis en cinquième année.
Le soir, j'aide parfois
la voisine.

5

Qui suis-je ?

J'ai 1 an.
J'éparpille mes jouets
dans la maison.
Je joue avec le chien.

 1 • *Écris le prénom des cinq personnes décrites.*

2 • *Compare la famille des jumeaux avec la tienne.*

La maison des jumeaux

Les jumeaux habitent une petite ferme. La maison est en bois.

Au rez-de-chaussée de la maison,
il y a une cuisine, un cabinet de toilette,
un salon, la chambre des parents
et la chambre de Do Ming.

À l'étage, il y a
la chambre des jumeaux,
la chambre de Camille,
l'atelier de la maman
et une salle de bains.

Au sous-sol, il y a
une salle de jeu,
une pièce
de rangement
et un atelier
de menuiserie.

La grand-maman
habite avec sa chatte et sa perruche
un logement aménagé au-dessus du garage.

À côté de la maison, il y a la niche de Pollus
et une vieille étable.

Trouve les pièces de la maison qui sont illustrées.

6

Photos de vacances

Juin

C'est l'anniversaire de Josèphe.
Il y a Alfred, Bénédicte, Jasmine,
Mathieu, Gabrielle et Marie-Philippe.
Mathieu a fait cadeau
d'une araignée à Josèphe.

Juillet

Toute la famille est au jardin zoologique.
Nous visitons la maison des dinosaures.
Reconnaissez-vous les deux petits enfants
à côté du brontosaure géant?

Août

Nous sommes à la ferme
d'oncle Bastien.
Voici nos meilleurs amis:
la vache Noirette et le cheval Éclair.
Mathieu travaille aux champs
et Marie-Philippe se promène
en tracteur.

1• *Raconte ce que les jumeaux ont fait chaque mois.*

2• *Essaie de reconnaître Mathieu et Marie-Philippe sur chaque photographie.*

Tout est en désordre !

Refrain

Tout est en désordre.
Quel méli-mélo !
Avec un peu d'ordre,
ce serait plus beau.

1 Je suis partie ce matin
sans couvrir mon lit.
Mes draps, mon oreiller
sont sur le plancher.

2 Tous mes vêtements
débordent de mes tiroirs.
Je ne peux plus fermer
les portes de mon armoire.

3 J'ai perdu mon cahier,
mon livre et mes crayons.
Si je les avais rangés,
je pourrais les trouver.

Nomme tout ce que la petite fille a laissé en désordre.

8

Voici un reportage sur la rentrée scolaire à une école.
Lis le texte pour savoir comment cela s'est déroulé.

Une fête de la rentrée

Rentrée scolaire spéciale à l'école Leventoux, de Baie-Comeau

Les élèves de l'école Leventoux ont passé la première journée d'école au parc des Pionniers. Félix, un élève de 2e année, raconte sa journée:

« On a envoyé des ballons dans le ciel. Pour protéger l'environnement, chaque classe a lancé seulement un ballon. Le caoutchouc des ballons n'est pas biodégradable. Il faut lutter contre la pollution.

Dans notre ballon, on a placé un message:
Adieu VIOLENCE !
Bonjour PAIX !

Ensuite, il y a eu une épluchette de blé d'Inde. Puis les élèves ont fait des activités et des jeux sur le bord du fleuve. Certains élèves avaient apporté leur cerf-volant. La journée s'est terminée par de la danse sur une musique disco. »

Félix

1 • *Nomme les activités de cette fête que tu trouves les plus intéressantes.*

2 • *Compare la rentrée scolaire de l'école Leventoux avec celle de ton école.*

9

Un travail d'équipe

L'école des jumeaux est transformée.

Elle est rénovée et agrandie.

On a commencé les travaux au mois de mai.

On a terminé les travaux pendant les vacances.

Le tableau suivant présente le travail fait

pour rénover l'école:

Travailleurs	Responsabilités
Architectes	• Dessiner les plans
Briqueteurs-maçons	• Poser des briques
Plombiers	• Refaire la plomberie • Installer les fontaines, les lavabos et les toilettes
Électriciens	• Refaire le système électrique • Poser les prises de courant
Manoeuvres	• Démolir les murs
Charpentiers-menuisiers	• Construire les murs • Poser les planchers • Poser les portes et les fenêtres
Carreleurs	• Poser le carrelage
Plâtriers	• Mettre du plâtre sur les murs et les plafonds
Peintres	• Peindre les murs • Coller du papier peint

ENTRÉE
INTERDITE
SANS
AUTORISATION

1• Nomme toutes les personnes
qui ont travaillé à la rénovation
de l'école. Trouve-les sur l'illustration.

2• Mime le travail fait
par chaque membre de l'équipe.

11

Voici les messages écrits au directeur par des élèves de 2e année.
Lis les messages pour connaître leur opinion sur l'école.

Ce n'est plus la même école !

Cher Fernand,

Je trouve que l'école a embelli.
J'adore le nouveau gymnase.
Il y a des espaliers,
des cordes à noeuds
et un trampoline.
Les grands sont
dans la même école
que les petits.
Je n'aime pas cela.
Ma soeur Camille
raconte à mes parents
tout ce que je fais.

Marie-Philippe

Cher Fernand,

J'aime bien
notre nouvelle école.
Je raffole des jeux
dans la cour de récréation.
Il y a des balançoires,
des glissoires
et un carré de sable.
Je n'aime pas l'asphalte
qui recouvre
la cour de récréation.
Je me fais mal
quand je tombe.

Gabrielle

Cher Fernand,

Je trouve que l'école
a bien changé.
La salle où se trouve les ordinateurs
me plaît beaucoup.
Je suis content de travailler en paix.
Maintenant, je ne suis plus embêté
par le bruit des camions
et des coups de marteau.

Mathieu

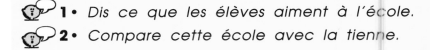

1• Dis ce que les élèves aiment à l'école.
2• Compare cette école avec la tienne.

Dans la classe des jumeaux, les élèves ont reçu cette fiche.
Lis les réponses des jumeaux pour connaître leurs goûts.

Quels sont tes goûts ?

Nom:

1. Qu'est-ce que tu aimes faire à l'école ?
2. Qu'est-ce que tu n'aimes pas à l'école ?
3. Qui sont tes deux meilleurs amis ?
4. Qu'est-ce que tu aimes faire pendant la fin de semaine ?
5. Quel est ton animal préféré ?

Nom: Marie-Philippe

1. J'aime aller à la récréation.
2. Je n'aime pas les règlements.
3. Mes amis sont Mathieu et Gabrielle.
4. J'aime jouer au ballon.
5. Mon animal préféré, c'est le dinosaure.

Nom: Mathieu

1. J'aime travailler à l'ordinateur.
2. Je n'aime pas les chicanes.
3. Mes amis sont Marie-Philippe et Alfred.
4. J'aime jouer aux jeux vidéo.
5. Mon animal préféré, c'est l'araignée.

1. *Dis ce que tu penses des réponses des jumeaux.*
2. *Réponds aux questions posées sur la fiche.*

13

Voici un texte qui présente trois classes de 2e année.
Lis le texte pour savoir ce qui se passe dans ces classes.

D'autres classes

Jérémie est dans une classe multiprogramme.
Dans sa classe, certains élèves lisent
des histoires de 2e année. D'autres élèves
apprennent des choses de 3e année.
Tout fonctionne bien,
car les élèves travaillent en équipe.

À l'école de Fannie, les salles de classe
sont immenses. Dans sa classe,
il y a trois bureaux,
trois tableaux et trois étagères.
Déjà Fannie connaît le prénom
de huit élèves de son groupe.
Il y a 75 élèves dans sa classe.
Cela fait beaucoup d'amis à découvrir.

Costa va à l'école Socrates.
Tous les élèves portent le même costume.
Costa parle le français, le grec et l'anglais.
Il a quitté la Grèce à l'âge de 3 ans.
Il a laissé là-bas son amie Anastasia
et son gros chat gris.
Depuis son arrivée au Québec,
il s'est fait plusieurs nouveaux amis.

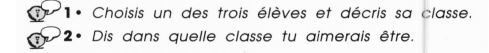

1 • *Choisis un des trois élèves et décris sa classe.*
2 • *Dis dans quelle classe tu aimerais être.*

14

Bienvenue, Superlux !

Les animaux de mon été

Bonjour Angélique,

Une famille de cinq mouffettes
s'est installée sous la galerie.
Papa a trouvé un bon truc. Devine !
Répandre de la naphtaline
sous la galerie.
Les visiteuses sont parties bien vite.
Ouf !

Marc-Antoine, 2ᵉ année

Bonjour Mathieu,

Le voisin de ma tante élève des porcs.
Regarde, j'ai un ami.
Zozo, le porcelet, court très vite.
Il émet de petits bruits : il grogne.
Il est chatouilleux et tout rose.

Gabrielle, 2ᵉ année

Bonjour Ricardo,

Grand-maman m'a appris un proverbe:
Araignée du matin, chagrin...
Cela veut dire que la température
sera maussade.
J'ai bien ri.
Euh! regarde ma photo!
C'est moi le même jour!

Marie-Philippe, 2e année

Bonjour Chamini,

Mon père m'a chicané.
Sais-tu pourquoi?
Parce que je nourrissais des tamias rayés.
Les tamias rayés peuvent mordre
et transmettre la rage.
C'est dommage: ils sont si jolis.
Je peux tout de même
les regarder et les dessiner.

Guillaume, 2e année

19

Bonjour les enfants,

Voici ce que j'ai appris en lisant le journal:

*Les animaux sauvages sont vraiment sauvages.
Ils ne sont pas comme dans les dessins animés.
Il faut les regarder de loin.*

Fernand, votre directeur

Bonjour les enfants,

Regardez! c'est un vrai cheval!
Il est grand et fort.
Savez-vous ce que j'ai appris
en regardant la télévision?
J'ai appris que les chevaux
voient les choses plus grosses
que nous les voyons.
C'est pour cela qu'ils sont nerveux.

Jacqueline, la concierge

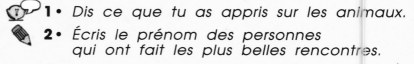

1 • *Dis ce que tu as appris sur les animaux.*

2 • *Écris le prénom des personnes
qui ont fait les plus belles rencontres.*

Un sourire qui répare tout

Cet été, Thomas a perdu deux dents du haut.
Il se trouve affreux... L'été est fini et, ce matin,
c'est la rentrée scolaire.

Avant, Thomas avait hâte de retourner à l'école.
Maintenant, il n'a plus hâte du tout:
il a un grand trou dans la bouche.
«Tout le monde va rire de moi, pense-t-il.
C'est décidé, je ne vais pas à l'école. »

Thomas se cache sous son lit, le plus loin possible.

Il pense à sa jolie voisine Noémie.

Elle ne porte pas de lunettes, elle.

Ses dents sont blanches et si droites...

Soudain, Thomas voit des pieds qui s'approchent.

Le coeur de Thomas bondit dans sa poitrine.

« Non, je n'irai pas à l'école », répète-t-il.

Noémie est venue chercher son ami.

Elle se penche et le découvre sous le lit.

« Hé ! Thomas ! sors de là ! » dit-elle en souriant.

Thomas n'en croit pas ses yeux.

Dans le sourire de Noémie,

il y a un grand trou **vide** !

Main dans la main, Thomas et Noémie prennent le chemin de l'école. Gare à ceux qui vont rire de leurs sourires !

J. R.

révision

A. A.

Associe chaque enfant au nom qui pourrait être le sien.

M. C.

C.-A. M.

① Mélissa Marcos

② Anastasia Adamapoulos

③ Charles-Antoine Mignacco

④ Julia Rojas

⑤ Dieudonné Solfis

⑥ Fanny Harvey-Desgagné

⑦ Mamadou Camara

⑧ Kevin Grenier-Lafrenière

⑨ Frédérique Tremblay

⑩ Alie Salahi

A. S.

F.

K. G.-L.

F. T.

D. S.

M. M.

Tout le monde travaille.

Lis le texte pour aider Flavie à trouver du travail.

Un emploi pour grand-maman

Grand-maman cherche du travail.
Elle veut travailler près de chez elle
environ trois heures par jour.
Elle préfère travailler assise,
car ses jambes sont un peu fatiguées.

Grand-maman regarde les offres d'emploi
épinglées sur le babillard.
Elle note un numéro de téléphone.
Un emploi semble l'intéresser beaucoup.

On cherche
un jeune homme
ou une jeune femme
pour être mannequin
dans des défilés de mode.
La personne choisie
devra voyager souvent.

☎ 303-2468

Épicerie
La 🌸 Fleur

On demande
un infirmier ou une infirmière
pour s'occuper d'un couple âgé.
La personne choisie
devra habiter sur place.

☎ 201-8863

On demande
un conducteur
ou une conductrice
d'autobus scolaire.

☎ 201-6798

On cherche
un caissier ou une caissière
pour travailler
pendant la fin de semaine
à l'épicerie *La* 🌸 *Fleur*.

☎ 201-9814

On cherche
un couturier ou une couturière
pour coudre des blousons et des tabliers
à la manufacture (Blaise).
Travail de 8 h à 16 h   ☎ 201-6538

1• *Fais la liste des emplois offerts.*
2• *Devine quel emploi Flavie a choisi.*

Un grave accident

Flavie se débrouille bien.
Elle conduit un autobus scolaire depuis six jours.
Tout va à merveille. Elle connaît le nom
et l'adresse de chaque enfant.
Aujourd'hui, lundi, les enfants
sont dans l'autobus :
il ne manque plus que Gabrielle.

Flavie arrête son autobus
devant la petite maison bleue de Gabrielle.
Comme toujours, Gabrielle n'est pas à l'arrêt d'autobus.
Flavie klaxonne : Gabrielle va peut-être se hâter.
Les secondes passent. Gabrielle n'arrive pas.

28

Flavie réfléchit :

« *Probablement que* Gabrielle va encore sortir
de la maison en courant.

Probablement que Gabrielle va encore arriver
avec trop de bagages : son sac à dos,
sa boîte-repas, sa poupée Églantine,
son dessin et sa pomme.

Probablement que Gabrielle n'aura pas encore
eu le temps d'attacher les lacets de ses espadrilles.

Probablement que... »

Mais Gabrielle n'arrive toujours pas.
Flavie démarre son autobus.

L'autobus s'arrête devant l'école.
Flavie salue les enfants tour à tour.
« Merci, Flavie ! — Bonne journée, grand-maman !
— Au revoir, madame ! » disent les enfants.

Dans la cour de récréation, Fernand,
le directeur de l'école, accueille les élèves.
Il fait un signe à Flavie : il veut lui parler.
Fernand monte dans l'autobus.
« Flavie, je veux t'annoncer une triste nouvelle.
  Une de nos élèves a eu un grave accident.
— C'est Gabrielle, n'est-ce pas ?
— Oui. Samedi, Gabrielle est allée à la ferme de sa tante
    avec ses parents. Elle jouait avec le porcelet du voisin.
    Tout à coup, le porcelet s'est dirigé vers la rue.
    Gabrielle a voulu le rattraper. Malheureusement,
    Gabrielle s'est fait heurter par une voiture.
— Comment va Gabrielle ?
— Elle est hospitalisée.
    Elle a une fracture du crâne. »

Flavie est bouleversée.
« Pauvre petite Gabrielle, je vais faire quelque chose
    de spécial pour toi. Tu dois t'ennuyer beaucoup
    dans cet hôpital. »

Le dimanche suivant, Flavie rend visite
à Gabrielle à l'hôpital.
Elle est venue en autobus... comme passagère.

Gabrielle se repose.
Elle a été opérée.
Sa tête est entourée d'un bandage.
Gabrielle restera à l'hôpital encore plusieurs jours.

1 • *Raconte comment s'est produit l'accident de Gabrielle.*

2 • *Dis tout ce que Flavie a fait.*

Flavie a remis des messages à quelques élèves.
Lis les messages pour savoir ce que Flavie a écrit.

Bravo, les enfants !

Je te félicite !
L'autre jour, tu as échappé
ton dessin en sortant de l'autobus.
Heureusement, tu as continué
ton chemin sans revenir le chercher.

Flavie

Bravo !
Maintenant, tu places toutes tes choses
dans ton sac d'écolier. Tu tiens ton sac
sur tes genoux. C'est plus sécuritaire
pour toi et pour les autres.

Flavie

Je suis contente.
Enfin ! tu as pu changer ta boîte-repas
en métal aux coins pointus.
Ta nouvelle boîte-repas en plastique
aux coins arrondis est superbe.

Flavie

Je te félicite !
Tu me regardes avant de traverser
loin devant le pare-chocs de l'autobus.
De plus, tu regardes à gauche,
à droite, et encore à gauche
avant de traverser la rue.
C'est très bien. Continue ! *Flavie*

C'est super !
Tu enlèves les écouteurs de ton baladeur
avant de descendre de l'autobus. Tu sais,
c'est plus prudent d'écouter la « musique »
des automobiles et des camions.
Flavie

Bravo !
Tu utilises ta main droite
pour tenir la rampe
lorsque tu descends
de l'autobus. *Flavie*

Je te félicite !
Tu parles à voix basse dans l'autobus.
Tu ne me parles pas quand je conduis,
même si je suis ta voisine.
Flavie

1• *Trouve les messages qui sont illustrés.*

2• *Nomme les règles de sécurité que ces élèves ont observées.*

33

La photographe à l'école

La photographe est là.
Et me voilà !
Bien reposée, bien lavée,
bien habillée, bien coiffée.
C'est à mon tour d'être photographiée.

1ʳᵉ photo

Je rigole.
Elle s'affole.

4ᵉ photo

J'imite un superhéros.
Elle dit : « Cesse de voler
comme un oiseau. »

2ᵉ photo

Je grimace.
Ça l'agace.

5ᵉ photo

Youpi ! je souris,
car je dis
« kiwi, souris, biscuit,
merci, taxi ».

3ᵉ photo

Je m'endors.
Elle crie fort.

Ne t'en fais pas.
La photographe, c'est ma maman.

1• *Mime avec quelqu'un la scène entre Zoé et la photographe.*

2• *Dis ce que tu penses du comportement de Zoé.*

36

Fruits et légumes à vendre

Laurent a installé de longues tables devant la maison.
Camille et Mireille ont étalé sur les tables des brocolis,
des courges et des choux-fleurs. Flavie a ajouté
ses pots de marinades et de compote de pommes.

Les jumeaux ont déposé dans des paniers des pommes,
des épis de maïs et des pommes de terre.
Ensuite, toute la famille a transporté près des tables
les énormes citrouilles. Pendant ce temps,
Pollus et Quatre-Sous se chamaillaient au soleil.
Do Ming jouait avec les sacs en papier.

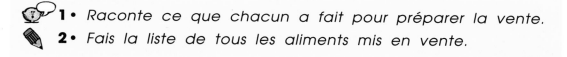

1 • *Raconte ce que chacun a fait pour préparer la vente.*
2 • *Fais la liste de tous les aliments mis en vente.*

37

Lis le texte pour savoir comment se prépare une bonne récolte.

Comment prépare

Janvier

Février

Laurent remplit de terre
ses nombreux contenants.
Il mêle de l'engrais
à la terre.

Mars

Laurent plante les graines
de chou-fleur, de tomate
et de brocoli
dans les contenants.
Flavie étiquette les contenants
avec l'aide des jumeaux.

Avril

Début mai

Fin mai

Camille et Flavie plantent
les graines de carotte,
de haricot, de courge,
de citrouille et de maïs.
Laurent transplante les brocolis,
les choux-fleurs et les tomates.
Il plante les pommes de terre.

une bonne récolte

Juin

Juillet

Laurent récolte les haricots
et les tomates. Il arrache
les mauvaises herbes.
Les jumeaux arrosent le potager
et surtout le coin des citrouilles.

Août

Laurent récolte les courges,
les brocolis, les choux-fleurs,
les épis de maïs et les carottes
Les jumeaux et Pollus
grattent la terre pour trouver
les pommes de terre.

Septembre

 1 • *Raconte l'histoire d'un aliment de ton choix,
de la semence à la récolte.*

2 • *Fais la liste des produits récoltés.*

Voici un gazon bien spécial.
Lis le texte pour savoir comment le préparer.

Un gazon bon à manger... !

Voici comment préparer un gazon bon à manger.

Matériel

- des graines de luzerne
- de l'eau
- un bocal
- un morceau de tissu
- un élastique

Démarche

1 Recouvre de graines le fond du bocal.

2 Ajoute de l'eau tiède pour recouvrir les graines.

3 Couvre le bocal d'un morceau de tissu retenu par un élastique.

4 Laisse tremper les graines toute la nuit.

5 Le lendemain, renverse le bocal et laisse l'eau s'égoutter complètement.

6 Place le bocal dans une armoire ou un placard.

7 Rince les graines deux ou trois fois par jour.
Ne laisse jamais l'eau dans le bocal.

Dans six ou sept jours, tu auras un gazon
bon pour la santé... !

Catherine Brunelle a gagné un concours.
Lis le reportage pour te renseigner sur ce concours.

Concours de citrouilles

Le Jardin botanique
de Montréal
a organisé un concours
de citrouilles décorées.
Nous avons rencontré
la gagnante du concours,
Catherine Brunelle.
La rencontre a eu lieu
pendant le grand bal
des citrouilles costumées.

Photo : La Presse

Journaliste — Quels étaient les règlements du concours ?

Catherine — Chaque participant et chaque participante devaient faire
un personnage avec une citrouille. Ils pouvaient coller
ou piquer toutes sortes d'objets sur leur citrouille.
Ils pouvaient aussi la peindre ou l'habiller.
Mais c'était défendu de la découper ou de la vider.

Journaliste — Comment as-tu procédé ?

Catherine — D'abord, j'ai imaginé mon personnage :
un chien-citrouille-téléphone. Ensuite, j'ai dessiné
sur du papier plusieurs croquis de mon personnage.
Puis j'ai visité quelques marchés avec ma mère
pour trouver ma citrouille. J'ai réussi tout de suite
à décorer ma citrouille. Enfin, je suis allée la porter
au Jardin botanique. Quel concours amusant !

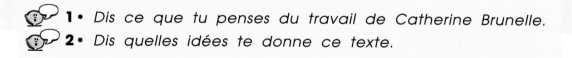

1 • *Dis ce que tu penses du travail de Catherine Brunelle.*
2 • *Dis quelles idées te donne ce texte.*

41

Voici des suggestions amusantes pour décorer des citrouilles.
Lis le texte pour savoir comment procéder.

Des citrouilles décorées

Le violoneux

Mon amie du Japon

Le jardinier heureux

Valentine

La bonne sorcière

Clo-clo, le clown

Démarche

 ① Choisis
le personnage
que tu veux faire.

 ④ Prépare
le matériel.

 ② Dessine
ton personnage
sur du papier.

 ⑤ Décore
ta citrouille
avec l'aide
de quelqu'un.

 ③ Fais la liste
du matériel
dont tu auras besoin.

*Fais attention
si tu utilises un couteau
ou des épingles.*

Matériel de base

- crayons feutres
- couteau
- épingles
- peinture
- colle
- clous

Yeux, nez,
bouche, oreilles

- assiettes en carton
- godets de crème
- pommes de pin
- papier de soie
bouchonné
- roches
- boutons

Cheveux

- cartons de couleur
- fleurs séchées
- nettoie-pipes
- fourrure
- ouate
- laine

Accessoires

- chapeau
- sucette
- tuque
- ruban
- pipe
- fleur

 43

Voici des règles de sécurité écrites par des élèves de 6ᵉ année. Lis ces règles pour vérifier si tu les connais bien.

Fêter l'Halloween en toute sécurité

A Utilise un maquillage au lieu d'un masque.

B Respecte la signalisation.

C Vérifie ta route avec tes parents. Reste dans le quartier. Ne t'éloigne pas trop de la maison.

D Fais poser des bandes réfléchissantes sur tes vêtements.

E Évite de zigzaguer d'un trottoir à l'autre.

F N'entre jamais à l'intérieur d'une maison ou d'un appartement. Reste sur le seuil de la porte.

G Porte un costume ininflammable.

H Demande à tes parents à quelle heure tu dois revenir à la maison.

I Porte un costume court et de couleur claire.

J Utilise une lampe de poche allumée.

1 • Retrouve cinq règles qui informent :
- sur le déguisement et les accessoires ;
- sur la façon de se déplacer.

2 • Retrouve dans le texte les règles illustrées.

Voici une histoire composée par Robert Soulières.

Les citrouilles de monsieur Lavoie

Dans deux semaines, ce sera l'Halloween,
la fête des citrouilles. Mais les citrouilles
de monsieur Lavoie sont plutôt maigrichonnes.
On dirait qu'elles refusent de pousser.
« Citrouilles de citrouilles, allez-vous pousser à la fin !
 Dépêchez-vous ! »
Monsieur Lavoie crie toujours.
Il gesticule fort. Il dit de gros mots.

Un bon matin, madame Mozart passe près du jardin
de monsieur Lavoie. Comme toujours, elle entend crier
son voisin.

« Monsieur Lavoie, monsieur Lavoie, calmez-vous...
 Vous faites peur à vos citrouilles. Elles ont sûrement
 la trouille. C'est pour cela qu'elles refusent de pousser.
— Vous dites des sottises, madame Mozart.
— Mais non, regardez vos citrouilles.
 Elles sont petites, maigrichonnes et toutes pâles.
— Quoi faire alors ? demande monsieur Lavoie.
— Soyez gentil. Parlez-leur doucement.
 Dites-leur des mots d'amour.
 Vous verrez, c'est une très bonne idée.
— Je ne vous crois pas du tout », dit monsieur Lavoie.
Mais monsieur Lavoie se met à réfléchir.

Le soir même, monsieur Lavoie est en pyjama
dans son jardin. Il chante ses plus belles chansons d'amour
à ses citrouilles. Il espère bien que personne ne le voit.
Surtout pas madame Mozart.

Quinze jours plus tard...

Monsieur Lavoie est au marché du village. C'est lui
qui a les plus belles, les plus grosses citrouilles.

Et monsieur Lavoie, derrière son étalage, fredonne encore
des chansons d'amour :

« Citrouilles de citrouilles !
Je vous donne mon coeur.
Donnez-moi des rondeurs.
Je vous donne mes caresses.
Devenez gigantesques.
Mes beaux soleils orangés.
Grossissez, grossissez, grossissez... »

47

Rappelle-toi !

bleu   **cl**asse

fleur   **gl**ace

pluie

Rappelle-toi !

kangourou   ki**w**i

ta**x**i   **z**èbre

*Lis le texte pour connaître
le personnage.*

Mon ami Glaçon

Il habite sur une autre planète.
Il a un nez en forme de bleuet.
Il a deux yeux clignotants.
Il a des cheveux rouge flamme.
Il a une plume à son chapeau.
Il porte une fleur à son blouson.
Il aime la pluie et les flocons de neige.
Il est toujours glacé.
Je l'aime, mon clown Glaçon.

*Lis les phrases pour savoir
ce que font les personnages.*

- Karine porte un kimono blanc
  pour faire du karaté.

- Roxane fait entendre
  le klaxon de son taxi.

- Edwidge et William regardent
  la photo d'un wapiti.

- Au zoo, Lorenzo a vu
  un zèbre et un lézard.

Je prends soin de moi.

Des bonbons dangereux

Aujourd'hui, Laurent est en congé.
Il ne va pas à la caserne de pompiers.
Laurent fait la lessive.

Laurent sort les vêtements de la corbeille à linge.
Une vraie corbeille à surprises.
« Tiens ! tiens ! l'espadrille de Mathieu,
le médaillon de Camille...
Ah ! ah ! un caillou dans la poche
du chandail de Marie-Philippe... »

Laurent met le linge dans la laveuse.
Il surveille Do Ming du coin de l'oeil.
Le bébé, assis par terre près de Pollus,
s'amuse à empiler des cubes.

Le téléphone sonne.
Laurent sort de la pièce.
Do Ming va aussitôt fouiller
dans l'armoire.
Il trouve une belle petite boîte
de billes blanches.
Do Ming éparpille les petites billes
blanches sur le plancher.
Ses yeux s'écarquillent.
« Bon bonbon... bon bonbon... »,
dit-il en tapant des mains.

Sa menotte saisit une, deux,
trois billes blanches.
Sa petite bouche s'ouvre toute grande.
Do Ming croque, croque, croque.
Il grimace. Il crache et crache encore.
Il se met à pleurer. Il crie.
Pollus, énervé,
jappe sans s'arrêter.

51

Laurent arrive en courant. Il devine ce qui s'est passé.
Il prend Do Ming dans ses bras et se précipite
sur le téléphone.
« Le Centre anti-poison ?

— ...

— Mon bébé a croqué des boules de naphtaline.

— ...

— Deux ou trois boules.

— ...

— Oui, je vais faire cela tout de suite.
 Je suis moins inquiet maintenant. »

1• *Raconte l'aventure de Do Ming.*
2• *Dessine une fin à l'histoire.*

52

Lis le texte pour connaître certains malaises
que peuvent avoir les enfants.

Le centre médical

Infirmière, j'ai joué avec un chat. Mes yeux piquent et mon nez coule.

Tu sembles allergique aux chats.

Docteur, j'ai mal à la gorge. Je tousse. Je suis fiévreux.

Tu as sans doute le rhume ou la grippe.

Docteure, la nuit, j'ai mal aux jambes. Je ne peux pas dormir. Je suis fatigué.

Tu as peut-être des crampes aux mollets.

Infirmier, nous sommes fiévreux. Nous avons sommeil. Nous avons des boutons partout sur le corps. Et ça pique!

Vous avez probablement la varicelle.

1• *Dis si tu as déjà eu un de ces malaises.*

2• *Écris le nom de deux malaises.*

53

Un hôpital à la maison

Ce matin, c'est le branle-bas dans la chambre
des jumeaux. Mathieu et Marie-Philippe ont transformé
leur chambre en salle d'urgence. Les jumeaux,
déguisés en médecins, accueillent sept malades.

« Joli bébé Do Ming, je vais voir si tu fais de la fièvre.
  Laisse ce thermomètre sous ta langue.

— Douce madame Camille, je vais guérir
  votre rhume avec ce sirop contre la toux.

— Gros chien Pollus, je vais vous calmer
  avec un bon bain chaud, mais surtout pas bouillant.

— Pauvre chatte Quatre-Sous, je vais mettre
  ta petite patte cassée dans un plâtre.

— Petit ourson, je vais appliquer de l'onguent
  sur ce gros bouton pour te soulager.

— Gentille poupée, je vais écouter le bruit
  que fait ton coeur avec ce stéthoscope.

— Cher gorille, je vais vous endormir
  avec cette piqûre. Regardez la longue aiguille. »

Tout à coup, on frappe à la porte.
Est-ce un nouveau malade ?
Non, c'est grand-maman.
Le visage de grand-maman change de couleur.
« Oh ! oh ! mais quel désordre !
  Docteur, Docteure, pouvez-vous m'aider ?
  Je pense que je fais un **gros** cauchemar. »
Les jumeaux se regardent et pouffent de rire :
« Chère madame, nous allons tellement
  vous faire rire que vous n'aurez plus peur !
  Fini le **gros** cauchemar. »

Lis le texte pour aider Blandine à résoudre son problème.

Docteure, je ne peux pas dormir!

Docteure, j'ai souvent de la difficulté à m'endormir. J'ai la tête pleine d'idées.

Peux-tu travailler et dormir en même temps?

Pour dormir, tu dois arrêter de travailler. Essaie mes petits trucs.

① Repose ton corps.
- Prends un bon bain.
- Flâne en pyjama.
- Prends un verre de lait chaud si tu as vraiment faim.

② Repose ton cerveau.
- Évite de regarder des films violents.
- Lis une histoire ou dessine un peu.
- Écoute de la musique douce.

③ Repose ton coeur.
- Raconte ce qui t'a fait de la peine pendant la journée.
- Raconte les moments heureux de ta journée.
- Va embrasser tes parents.
- Couche-toi avec un toutou si tu veux.

Étire-toi dans ton lit et bâille un bon coup.
Couche-toi à la même heure chaque soir.
Ton corps va enregistrer le message.
Il va se préparer au sommeil tout seul.

1• Identifie le conseil qui est illustré.

2• Écris les deux conseils que tu trouves les plus intéressants.

Pas de panique !

Chère Gabrielle,

As-tu toujours mal à la tête ?
Est-ce que ta poupée Églantine va bien ?

À l'école, il y a eu un exercice d'incendie.
Tout à coup, on a entendu l'avertisseur d'incendie.
Mathieu a eu peur. Guillaume et Bénédicte
ont pleuré. Esther a dit :
« Pas de panique, les enfants.
   Vite, en rang. Tout le monde sort. »

C'est notre classe qui est sortie la première.
Les pompiers nous ont expliqué quoi faire en cas d'incendie.

Sais-tu que ce ne sont pas les flammes qui tuent les gens ?
C'est la fumée. Les gens meurent asphyxiés.
Sais-tu que les enfants se cachent parfois sous les lits
ou dans les garde-robes au lieu de sortir dehors ?

J'ai hâte de te revoir.

Marie-Philippe XX

P.-S. Je t'envoie une photo.
Je t'envoie aussi
le plan d'évacuation
que j'ai dessiné
avec maman.

Compare ce qui est arrivé à cette école avec ce qui arrive à ton école.

Bonjour! Je suis Superlux! J'aide les enfants à penser.

Karine a apporté un jeu chez Dimitrios.

Réveille-toi, c'est à ton tour de jouer.

Peuh! c'est un jeu de bébé.

...mitrios sort quelque chose ...la poche de son chandail.

...garde, j'ai pris cela ...ns le bureau ...maman.

Superlux voit d'avance ce qui pourrait arriver.

Oh! non!

...es allumettes! ...n as-tu beaucoup?

...mitrios a changé d'idée.

...es parents ...e défendent de jouer ...vec des allumettes.

...oi aussi.

Je vais remettre les allumettes à leur place.

Nos parents peuvent nous faire confiance.

59

Lis le texte pour mieux connaître les besoins de ton corps.

Ton corps, une vraie maison

Ton corps ressemble à une vraie maison.
Une maison vivante.

La structure d'une maison

- des poutres et des murs
  pour supporter la maison;

- des fils électriques
  pour distribuer l'électricité
  dans toute la maison;

- des tuyaux d'égout
  pour évacuer les déchets;

- de l'eau dans la plomberie.

La structure de ton corps

- des os et des muscles
  pour supporter le corps;

- des veines et des artères
  pour distribuer le sang
  dans tout le corps;

- des intestins
  pour évacuer les déchets;

- de l'eau pour irriguer le corps.

C'est important de prendre soin de ton corps.

60

Ton corps est en pleine croissance.
Il a besoin de beaucoup d'énergie.
Il puise une grande quantité de son énergie
dans les aliments.
Voici les quatre grands groupes d'aliments :

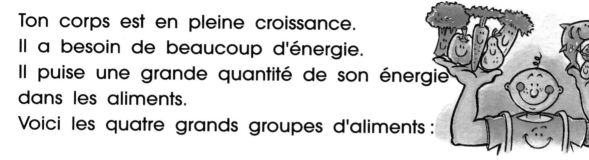

Lait et produits laitiers

Viande, poisson, volaille, oeufs, noix et légumineuses

Pain et céréales

Fruits et légumes

Mange chaque jour des aliments choisis
dans chacun de ces groupes.
Bois beaucoup d'eau.
Fais de l'exercice.
Ta maison vivante sera ainsi en pleine forme...
pour rire, pour apprendre,
pour courir et pour grandir.

1 • *Compare la structure de ton corps avec la structure d'une maison.*

2 • *Fais la liste des aliments que tu aimes manger.*

Un repas de fête

Les jumeaux et grand-maman ont préparé en cachette un repas de fête. Que peuvent-ils bien fêter ?
Toute la famille va fêter l'arrivée de la première neige.

Salade en train

Ingrédients

- un pied de céleri
- un gros concombre
- trois radis
- une carotte
- du fromage à la crème
- un gros morceau
  de fromage à pâte dure
- de la luzerne ou de la laitue
- des graines de tournesol

Démarche

1 La voie ferrée

Coupe le céleri en bâtonnets.

> Il faut deux longs bâtonnets pour les rails.
> Il faut six bâtonnets plus courts pour les traverses.

2 La locomotive

Coupe les bouts du concombre.

Les roues

- Enlève les bouts des radis.
- Coupe les radis en deux.
- Fixe les radis coupés à la locomotive.
  Utilise des cure-dents.

La cheminée

- Coupe un morceau de carotte.
  Fixe-le sur la locomotive avec du fromage à la crème.
- Place la locomotive sur la voie ferrée.
- Place le morceau de fromage à l'arrière du concombre.

3 Le décor

- Ajoute de la luzerne ou de la laitue
  pour faire la pelouse.
- Ajoute des graines de tournesol
  pour faire de petites roches.

63

Bon appétit, les dinosaures !

Dans ma tête, j'ai une idée.
À mon ami le brontosaure,
je vais donner :
fleurs de brocoli,
branches de céleri,
rondelles de carotte
ou échalotes,
laitue
ou chou dodu,
parce qu'il est herbivore.

Dans ma tête, j'ai une idée.
À mon ami le tyrannosaure,
je vais donner :
viande en brochettes,
en croquettes ou en boulettes,
jambon
ou poisson,
écrevisses
ou saucisses,
parce qu'il est carnivore.

1 • *Dis ce que tu trouves amusant dans ce texte.*
2 • *Fais la liste des aliments que chaque animal a choisis.*

Voici une histoire composée par Bernadette Renaud.

Trop, c'est trop !

Billy est prêt à partir pour l'école.
Papa est prêt à partir pour le bureau.
Les petites mains de Billy agrippent
une poignée de bonbons.
Les grosses mains de papa agrippent
le poignet de Billy.
« Billy, dit papa avec impatience,
  cesse de manger des bonbons.
  Cela gâte tes dents. Cela te rend irritable.
  Si tu continues, je jette ces bonbons à la poubelle. »

En route pour l'école, Billy réfléchit.

Billy comprend.
« C'est mon problème. Je vais le régler tout seul. »

À son retour de l'école, Billy a pris une décision.

Il met quelque chose dans un petit sac en plastique.

Il range le petit sac en plastique dans une petite boîte.

Il colle la boîte avec du ruban adhésif.

Il attache la boîte avec une corde.

Il fait deux noeuds.

Billy grimpe sur une chaise.

Il cache la boîte dans le haut de l'armoire.

Pendant la soirée, papa a la bougeotte. Il est nerveux
depuis qu'il ne fume plus.

« Billy ! où sont les bonbons ? Les as-tu tous mangés ?

— Non, papa. Les bonbons sont dans le haut
   de l'armoire. »

Papa va fouiller et trouve le paquet.

Mais le paquet est emballé, collé et ficelé.

« C'est trop compliqué », soupire papa.

Papa replace le paquet dans le haut de l'armoire.
Billy se verse un jus et ajoute une paille.

« Tu vois, papa, j'ai réglé mon problème tout seul.

— Hum ! hum ! toussote papa. Tu as raison.
   Et si je mangeais un kiwi au lieu d'un bonbon ?
   Je serais moins irritable et je n'aurais
   certainement pas de bedon. »

67

Rappelle-toi !

révision

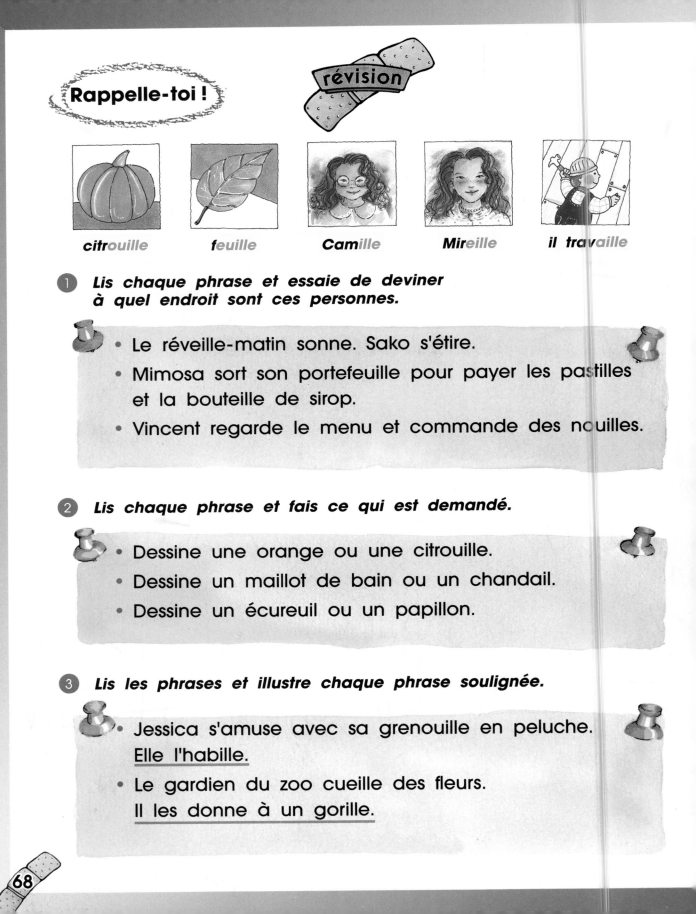

citrouille   feuille   Camille   Mireille   il travaille

1 *Lis chaque phrase et essaie de deviner à quel endroit sont ces personnes.*

- Le réveille-matin sonne. Sako s'étire.
- Mimosa sort son portefeuille pour payer les pastilles et la bouteille de sirop.
- Vincent regarde le menu et commande des nouilles.

2 *Lis chaque phrase et fais ce qui est demandé.*

- Dessine une orange ou une citrouille.
- Dessine un maillot de bain ou un chandail.
- Dessine un écureuil ou un papillon.

3 *Lis les phrases et illustre chaque phrase soulignée.*

- Jessica s'amuse avec sa grenouille en peluche. Elle l'habille.
- Le gardien du zoo cueille des fleurs. Il les donne à un gorille.

Lis le texte pour savoir ce que font les jumeaux et leur famille un jour de tempête de neige.

Prisonniers de la neige

Do Ming se réveille
en pleurant. Il a peur.
Des rafales de vent secouent
la fenêtre de sa chambre.

Les jumeaux se lèvent
en grelottant.
Le système de chauffage
ne fonctionne pas.

Camille saute du lit
en bougonnant.
Son réveille-matin
n'a pas sonné :
il y a une panne d'électricité.

Flavie entre dans la cuisine
en maugréant.
Elle a été réveillée
par les miaulements
de Quatre-Sous
et les sifflements de Kiwi.

Pollus dégringole l'escalier
en jappant. Tout ce brouhaha
dans la maison l'excite.

Une tempête de neige fait rage.
« Nous ne pouvons plus sortir de la maison.
Nous sommes prisonniers de la neige ! » disent les jumeaux.
Heureusement, c'est samedi.

La panne d'électricité est vite réparée.
Mais la tempête de neige contrarie les projets
d'un peu toute la famille.

Flavie doit dîner
avec Antonio, le facteur.

Flavie annule par téléphone
le dîner prévu.
Elle le remet au lendemain.
C'est le répondeur d'Antonio
qui prend le message.

Mireille doit aller porter
au journal local
une autre aventure
de Superlux.

Mireille envoie
par télécopieur
sa nouvelle bande dessinée.

Mathieu et Marie-Philippe
doivent aller à l'école
pour préparer le spectacle
de chansons de Noël.

Mathieu et Marie-Philippe
enregistrent des chansons
de Noël sur le magnétophone
de grand-maman.

Camille doit écrire
un conte de Noël
avec son amie Frédérique.

Camille compose
un conte de Noël.
Elle le copie
à la machine à écrire.

Laurent doit se rendre
à la caserne,
car il travaille aujourd'hui.

La voiture de **Laurent**
ne démarre pas.
Le garagiste fait monter
Laurent dans sa dépanneuse
et l'amène à la caserne.

Quelle merveilleuse journée pour Do Ming !

Do Ming joue aux cartes avec sa grand-maman.
Il enregistre ses balbutiements sur le magnétophone.
Il écoute le conte de Noël que lui raconte Camille.
Il dessine avec sa maman.

Pollus regarde
d'un air penaud
par la fenêtre. Il grogne
à chaque bourrasque
de vent. Il n'aime pas
être prisonnier de la neige.

Raconte ce que chacun a fait
le jour de la tempête de neige.

Lis ce poème inspiré du tableau de Pauline Paquin.

L'ami de tous les enfants

Un jour, j'ai décidé de me fabriquer un ami.
Bonhomme de neige est toute ma vie.
Chaque soir, j'embrasse son nez gelé
et je lui raconte ma journée.

Bonhomme de neige est tellement fascinant.
Il est l'ami de tous les enfants.
Les enfants de ma rue viennent tous les jours.
Maintenant, j'ai six amis dans ma cour.

Tableau de Pauline Paquin intitulé "L'ami de tous les enfants"

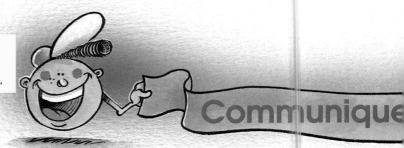

Lis le texte pour connaître différents moyens de communiquer à distance.

Communique

Communiquer par la parole

La voix humaine permet de murmurer, de parler, de chanter ou de crier. Mais la voix ne porte pas très loin.
Il y a très longtemps, les gens devaient absolument se rencontrer pour se parler.

Aujourd'hui, quels moyens peux-tu utiliser pour communiquer par la parole ?

De nos jours, tu n'es plus obligé de rencontrer une personne pour lui parler.

Tu peux communiquer par **interphone**.
Un **émetteur-récepteur** transporte ta voix jusqu'en dehors de la maison.

Tu peux chuchoter dans un **microphone**.
Une salle entière t'entend facilement.
Connais-tu le **porte-voix** ?
On s'en sert pour amplifier la voix à l'extérieur.

Tu peux parler à quelqu'un en son absence.
Comment ? En enregistrant ta voix sur une **cassette audio**.
Tu peux aussi enregistrer ta voix, ta mimique et tes gestes sur une **cassette vidéo**.

Mais le meilleur moyen de communiquer à distance, c'est le **téléphone**.

Tu sais, l'important dans la communication, c'est ce que tu as à dire.

✎ *Fais la liste des moyens qui permettent de communiquer par la parole.*

74

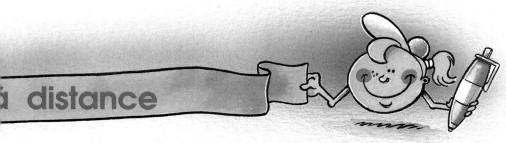

à distance

Communiquer par écrit

Les mots se disent ; ils peuvent aussi s'écrire.
Il y a très longtemps, les gens ne pouvaient écrire qu'à la main.
À certaines époques, on a utilisé le poinçon ou la plume d'oie.

Aujourd'hui, quels moyens peux-tu utiliser
pour communiquer par écrit ?

De nos jours, tu peux encore te servir
d'un poinçon ou d'une plume d'oie
pour écrire. Mais tu peux aussi utiliser
un stylo, un crayon ou une craie.

Un texte tapé à la **machine à écrire**
est parfois plus lisible. Si tu rédiges un texte
à l'**ordinateur**, tu peux changer souvent d'idée.
Tu peux corriger un mot, enlever ou ajouter
une phrase. Ton texte est toujours propre.

À l'aide d'un **télécopieur**, tu envoies
ou tu reçois instantanément un message.
Ton message voyage par téléphone.

Sais-tu par quel moyen je communique
avec toi aujourd'hui ? À l'aide de l'**imprimerie**.
Les livres, les bandes dessinées, les revues,
les journaux sont des imprimés.

L'écriture donne le temps de bien choisir les mots.
Tu sais, le meilleur mot, c'est celui
qui exprime bien la pensée.

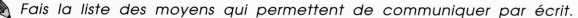

✏️ *Fais la liste des moyens qui permettent de communiquer par écrit.*

Lis le texte pour savoir quels cadeaux les jumeaux vont donner.

Des cadeaux pour tout le monde

- bouton
- tuque
- barbe
- manteau
- ceinture
- mitaine
- botte

Voici un jeu de dé *Père Noël*
pour un papa sensationnel.
Tes amis pompiers vont être contents
de pouvoir tous jouer en même temps.

- bouton
- foulard
- chapeau
- bras
- corps
- nez

Voici un jeu de dé *Bonhomme de neige* rigolo
pour une maman sans défauts.
Pour une fois, tu n'as pas à dessiner,
tu as juste à colorier.

76

Voici un jeu de dé *Petit chat*
pour une grand-maman extra.
Range-le loin de Quatre-Sous,
car tu le sais, elle touche à tout.

⚀ patte
⚁ oreille
⚂ boucle
⚃ tête
⚄ corps
⚅ queue

Voici un collage fantaisiste
pour Camille, l'écologiste.
Pour t'encourager,
on a récupéré plein de choses usagées.

Voici un mobile bien mignon
pour Do Ming, le plus beau des garçons.
Ton mobile a un problème d'équilibre,
mais c'est à peine visible.

✎ *Fais la liste des cadeaux et de leur destinataire.*

Un royaume de jouets

Connais-tu des lutins du père Noël ?
Moi, j'en connais quelques-uns.
Ce sont des pompiers...

Quand ces pompiers ont un peu de temps libre,
ils se transforment en lutins du père Noël.
Coups de marteau... coups de pinceau...
coups de ciseaux... Les pompiers lutins préparent
joyeusement la grande distribution de jouets
pour les enfants défavorisés.

L'entrepôt des jouets

Depuis plus de 50 ans,
une caserne de pompiers
de Sherbrooke est un véritable
royaume de jouets.
Des gens viennent de partout
y porter des jouets usagés.
Certaines écoles organisent
même des collectes de jouets.
L'entrepôt est bien garni.

La réparation des jouets

Les pompiers lutins inspectent
tous les jouets recueillis.
Ils les nettoient et les réparent.
Une amie couturière
prend soin des poupées.
Elle les lave, les répare
et leur confectionne
de nouveaux vêtements.
Manque-t-il des pièces
à certains casse-tête ?
Des grands-papas
et des grands-mamans bénévoles
prennent le temps de faire
chaque casse-tête.

La distribution des jouets

Aujourd'hui, c'est la grande fête.
C'est la distribution des jouets.
Le père Noël et ses lutins empilent
les jouets dans des camions
d'incendie et dans d'autres véhicules.
Le père Noël prend place
sur la grande échelle
du camion d'incendie.
Le cortège sillonne les rues
de Sherbrooke et des environs.

Ce soir, les pompiers lutins auront offert
des jouets à beaucoup d'enfants.

Le père Noël m'a dit : « J'aime voir s'allumer une flamme
de joie dans les yeux des enfants. »

1• *Raconte ce que tu as appris sur le royaume des jouets
et sur les lutins.*

2• *Dis ce que tu penses du travail de ces pompiers.*

Lis le texte pour savoir ce qui arrive à Dimitri.

Le Noël de Dimitri

Une poupée garçon est abandonnée
depuis longtemps dans une vieille boîte.
Pauvre petit Dimitri, sa vie est finie !
Personne ne veut plus de lui.
Mais...
quelques jours avant Noël,
une femme mystérieuse le sort de sa boîte.

Et hop ! Dimitri est lavé
et désinfecté des oreilles aux orteils.
Son bras cassé et son oeil abîmé sont remplacés.
La femme mystérieuse lui coud de beaux vêtements.
« Enfin ! dit la poupée garçon,
  je recommence une nouvelle vie. »
Dimitri est si heureux d'être le petit roi de la maison.

Mais... quelle déception ! Dimitri n'est pas seul.
La femme mystérieuse le présente
à des dizaines de poupées :
des poupées de chiffon, de caoutchouc, de plastique ;
des poupées à la peau rose ou noire ;
des poupées qui marchent, des poupées qui parlent,
des poupées qui pleurent.

Une poupée clown chuchote à l'oreille de Dimitri :
« Nous étions toutes comme toi en arrivant ici.
   Madame Jeannette est une vraie mère Noël pour nous.
— Nous resterons toujours avec elle »,
   dit la poupée ballerine.
Mais non, les poupées ne resteront pas toujours
avec madame Jeannette.

Madame Jeannette est à la fois joyeuse et triste.
« Des dizaines d'enfants ont besoin de vous,
   mes jolies poupées. Ils souffrent dans les hôpitaux ou vivent
   dans des familles démunies. Leurs petits bras sont parfois
   maladroits, mais leur coeur est plein d'amour.
   Aimez-les très fort. »

Dimitri est heureux.
Il sait qu'un enfant
va l'adopter et l'aimer.
Dimitri aussi va aimer cet enfant.
Quand madame Jeannette l'embrasse,
Dimitri lui murmure un gros « merci ».

Maintenant, c'est au tour de Dimitri
d'être un père Noël.
Un enfant l'attend quelque part...

1• *Raconte l'histoire de Dimitri.*
2• *Dis ce que tu penses de cette histoire.*

Crois-tu au père Noël et à la mère Noël?

Le père Noël et la mère Noël existent vraiment. Ils sont là, près de toi.

La mère Noël, c'est cette infirmière d'un hôpital. Elle a organisé un spectacle de chansons de Noël pour les malades.

La mère Noël, c'est cette marchande. Le père Noël, c'est ce marchand. Ils ont préparé des paniers de Noël pour des prisonniers.

[l]a mère Noël, [c']est cette adolescente. [Ell]e a aidé un couple âgé [à] décorer [le]ur arbre de Noël.

Le père Noël, c'est ce petit garçon. Il a donné son jouet préféré à son amie.

[L]e père Noël, c'est [l]e cuisinier d'un restaurant. [Il] a invité gratuitement [d]es familles défavorisées [à] un réveillon de Noël.

Et toi, que peux-tu faire pour être un père Noël ou une mère Noël?

1• *Dis ce que tu penses de ce texte.*

2• *Réponds à la question du petit renne.*

Père Noël, je ne sais pas quoi faire !

Cher père Noël,

Pour Noël, ma fille veut avoir
un pistolet à eau.
Mon fils veut avoir
un costume de guerrier.

Je suis contre la violence.
Je ne veux pas que mes enfants
jouent à la guerre.

Que me conseillez-vous ?   Alfonso

Cher père Noël,

L'année dernière, tu m'as offert
une auto téléguidée. Mais tu as oublié
de me donner des piles. Cette année,
peux-tu me donner une grosse caisse
remplie de piles en plus de mes cadeaux ?

Mes parents ne veulent plus
m'acheter de piles.

Qu'est-ce que tu en penses ?
Neigeline, 7 ans

Cher père Noël,

Pour Noël, ma fille a demandé
un jeu vidéo.
Mon garçon a demandé
une guitare électrique.

Je trouve que ces jouets coûtent
trop cher.

Que me conseillez-vous ?

Élaine

Cher père Noël,

L'année dernière, ma soeur a reçu
une poupée qui parle et qui chante.
J'ai dit à mes parents que j'aimerais
recevoir une poupée, moi aussi.

Mes parents disent qu'une poupée
n'est pas un jouet pour un garçon.

Qu'est-ce que tu en penses ?

Jordy , 7 ans

 Réponds à chaque lettre comme si tu étais le père Noël.

Rappelle-toi !

| Mathieu | Marie-Philippe | maison | neige | montagne |

Lis les textes et réponds aux questions.

Jonathan et Delphine
préparent la fête de Noël.
Il accroche des guirlandes.
Elle pose des boules.
Ils enveloppent des cadeaux.

Que fait chaque enfant ?

Reina corrige l'histoire
écrite par Thi Som Mai.
Reina colle un petit père Noël
dans le cahier de Thi Som Mai.

Quel métier fait Reina ?

Christophe enregistre le prix
de l'achat sur sa caisse.
Christophe remet un dollar
à monsieur Champigny.
Christophe place les beignes
dans un sac.

Quel métier fait Christophe ?

Le père Noël

Histoire
racontée et illustrée
par
Ginette Anfousse

Histoire originale
racontée et illustrée
par Ginette Anfousse
spécialement
pour le livre EN TÊTE 2.

Le problème avec le père Noël, c'est qu'il est gros.
Il a un si gros nez, un si gros ventre,
de si grosses bottes et une si grosse poche.
C'est certain qu'avec nos trente-trois cadeaux,
il restera coincé quelque part
dans la cheminée.

Pichou est si inquiet que j'ai décidé, ce soir,
d'attendre le père Noël dehors,
en cachette et déguisée.
Je lui dirai d'oublier la cheminée !
De passer par la porte !
J'ai décidé de l'attendre en fixant le pôle Nord.
J'ai décidé de l'attendre toute la nuit s'il le faut.

Le problème avec le père Noël,
c'est qu'il est un peu... comme le bonhomme Sept-Heures.
Il vient toujours quand il fait noir comme chez le loup,
quand il fait froid comme dans un congélateur.
Alors, même si Pichou grelotte de froid,
même s'il grelotte de peur,
il faut que mon pauvre-petit-bébé-tamanoir-mangeur-
de-fourmis-pour-vrai reste immobile, brave et courageux.

Il faut que... Pichou reste si immobile, si brave,
si courageux que l'envie terrible de courir se cacher
en dessous du lit disparaîtra d'un coup.
Alors, par une magie aussi terrible,
les méchantes rafales de neige
se changeront en pluie de boules.
Dans chacune des boules qui éclatera sur son nez,
il y aura une fourmi rouge ou noire ou bleue.

Le problème avec le père Noël,
c'est qu'il est lent à venir. Il est si lent que...
pour résister à l'envie terrible de dormir, il faut
cesser pendant quelques secondes de fixer le pôle Nord.
Il faut se retourner délicatement vers le pôle Sud
et imaginer mon pire ami, Cloclo Tremblay,
la tête dans le foyer et recevant sur le coco
sa nouvelle paire de raquettes et son nouveau jeu vidéo.

Finalement, le vrai problème avec le père Noël,
c'est que...
mon pauvre-petit-bébé-tamanoir-
mangeur-de-fourmis-pour-vrai
est beaucoup, beaucoup trop petit
pour veiller jusqu'à minuit !

Je me demande si le vrai père Noël
n'est pas le pire joueur de tours de la planète.
Promis, l'an prochain je grimperai sur le toit !
Je l'attendrai toute seule assise sur la cheminée !

Les personnages Jiji et Pichou
sont tirés des livres publiés aux Éditions la courte échelle.